Frans Hals

Jan Steen

Rembrandt

Vermeer

TEKST: GERARD VAN DER HOEK

RIJKSMUSEUM AMSTERDAM

Frans Hals 1580–1666

I   Portret van Isaac Massa en Beatrix van der Laen   140 x 166,5 cm
Bildnis des Isaac Massa und Beatrix van der Laen
アイザック・マッサとベアトリス・ヴァン・デル・ラーンの肖像
Portrait of Isaac Massa and Beatrix van der Laen
Retrato de Isaac Massa y Beatrix van der Laen
Portrait de Isaac Massa et Beatrix van der Laen

2   De vrolijke drinker   81 x 66,5 cm
Der lustige Zecher
陽気なのんだくれ
The Jolly Toper
El bebedor jocoso
Le joyeux buveur

Jan Steen 1626–1679

3   Het toilet   37 x 27,5 cm
    Die Toilette
    身づくろい
    The Toilet
    Quehaceres de tocador
    La toilette

4   De kwakzalver   37,5 x 27,5 cm
    Der Quacksalber
    藪医者
    The Quack
    El charlatán
    Le charlatan

5   Het St. Nicolaasfeest   82 x 70,5 cm
    Das St. Nikolausfest
    セント・ニコラス祭
    The Feast of St. Nicholas
    El día de S. Nicolás
    La fête de Saint-Nicolas

6   Het vrolijke huisgezin   110,5 x 141 cm
    Der fröhliche Familie
    陽気な家族
    The Merry Family
    La familia alegre
    La joyeuse famille

Rembrandt van Rijn 1606–1669

11   Portret van Maria Trip   107 x 82 cm
      Bildnis der Maria Trip
      マリア・トリップの肖像
      Portrait of Maria Trip
      Retrato de María Trip
      Portrait de Maria Trip

12/13 Corporaalschap van kapitein Frans Banning Cocq   359 x 438 cm
       en luitenant Willem van Ruytenburch, genaamd 'De Nachtwacht'
       Die Kompanie des Hauptmanns Frans Banning Cocq
       und des Leutnants Willem van Ruytenburch, 'Die Nachtwache' genannt
       "夜警" と称されるフランス・バニング・コック隊長とウィレム・
       ファン・ライテンブルフ副隊長の部隊
       The Company of captain Frans Banning Cocq
       and Lieutenant Willem van Ruytenburch, called 'The Nightwatch'
       El capitán Frans Banning Cocq y el teniente Willem van Ruytenburgh
       con su compañía en 'La Ronda de Noche'.
       La compagnie du capitaine Frans Banning Cocq
       et lieutenant Willem van Ruytenburch, dite 'La Ronde de Nuit'

14   De anatomische les van dr. Joan Deyman   100 x 134 cm
      Die Anatomiestunde des Dr. Joan Deyman
      ヨハン・デイマン博士の解剖学講義
      The Anatomy Lesson of Doctor Joan Deyman
      La lección de anatomía del Dr Joan Deyman
      La leçon du docteur Joan Deyman

Johannes Vermeer 1632–1675

20   De keukenmeid   45,5 x 41 cm
Die Küchenmagd
台所女中
The Kitchen-Maid
La sirvienta en la cocina
La cuisinière

21   Het straatje   54 x 44 cm
Die kleine Strasse
小さな通り
The Little Street
La callejuela
La ruelle

22   Het lezende vrouwtje   46,5 x 39 cm
Die Briefleserin
手紙を読む若い婦人
Young Woman Reading a Letter
Mujer leyendo una carta
La liseuse

23   De brief   44 x 38,5 cm
Der Brief
手紙
The Letter
La carta
La lettre

Zij is de dochter van een Haarlemse burgemeester en hij is koopman. Zijn gezicht is – dat hoorde toen zo – donkerder afgebeeld dan dat van zijn vrouw. Zij steunt, met geringde hand, op haar man; met de hand op zijn hart is hij haar trouw. Op wederzijdse aanhankelijkheid duidt de wijnrank om de boom gestrengeld; klimop en distel zijn ook amoureuze en erotische toespelingen. De gefantaseerde minnetuin achter die twee, spreekt met pauwen, paren en fontein van huwelijksgeluk en vruchtbaarheid; de aarden potten betekenen broze vergankelijkheid. Voor opdrachtgever, schilder en hun tijdgenoten vormde dat alles een niet mis te verstane symboliek.

Sie ist die Tochter eines haarlemer Bürgermeisters und er ist Kaufmann. Sein Gesicht ist – seinerzeit gehörte es sich so! – dunkler abgebildet, als das seiner Frau. Sie stützt sich mit ihrer beringten Hand auf ihren Mann; mit der Hand auf seinem Herzen ist er ihr treu. Auf die gegenseitige Zuneigung deutet die um den Baum sich schlingende Weinranke hin; Efeu und Distel sind auch verliebte und erotische Anspielungen. Der Fantasieliebesgarten hinter den Beiden spricht mit Pfauen, sich Liebhabenden und Springbrunnen vom Eheglück und von Fruchtbarkeit; die irdenen Töpfe bedeuten gebrechliche Vergänglichkeit. Für Auftraggeber, Maler und ihre Zeitgenossen bildete dies alles eine unmissverständliche Symbolik.

女はハーレムの市長の娘，男は商人である。当時の慣例通りに，男の顔は，妻の顔よりも黒く表現されている。彼女は指輪をはめた手で夫によりかかり，彼の胸にあてた手は，妻への忠誠を示している。木にまつわりつく葡萄の蔓は，二人の愛情をあらわし，葛とあざみは，愛とエロスを暗示している。二人の背後の孔雀や恋人たちのいる泉のある空想の愛の園は，結婚の豊饒さを物語っている。陶器の壺は，人生のはなやかさを表わしている。注文主と画家とその当時の人々にとって，これらすべてが何かを象徴するものであった。

She is the daughter of the Burgomaster of Haarlem and he is a merchant. His face is portrayed darker than his wife's – considered proper then. With a ringed hand, she leans against her husband; his hand on his heart denotes his faithfulness. Their mutual dependence is symbolised by the vine tendril winding around the tree; ivy and thistles are amorous and erotic allusions. The imaginary garden of love behind them, with its peacocks, couples and fountain, speaks of marital happiness and fertility; the earthenware pots signify a frail transience. For the commissioners, the artist and their contemporaries, all this formed a symbolism that could not be misunderstood.

Ella es hija del burgomaestre de Haarlem y él es mercader. El rostro de él es de tonos mas oscuros que los de ella, pues así lo quiere el buen gusto de la época. La esposa descansa la mano, adornada con una sortija, en el hombro del esposo. La suya apoyada en el corazón, declara él su amor constante. La vid enroscada en el árbol simboliza el mútuo afecto, la yedra y el cardo son símbolos eróticos. El jardín de los amores, en el fondo, es creación imaginaria. Simboliza la felicidad conyugal y la fecundidad, representadas en los pavos reales, las parejas y la fuente. Los tiestos simbolizan la fragilidad. El titular, el pintor y sus contemporáneos entendían a maravilla este lenguaje.

Marchand, il a épousé la fille d'un bourgmestre d'Haarlem. Son visage – selon l'habitude – est plus sombre que celui de sa femme. De sa main baguée, elle s'appuie sur son mari, qui, la main sur le cœur, témoigne de sa fidélité. Leur attachement mutuel est souligné par le pampre qui s'enroule autour d'un arbre, par le lierre et le chardon, symboles d'amour. Dans le jardin derrière eux, des paons, des couples et des fontaines, symboles de bonheur conjugal et de fécondité. Les vases de poterie rappellent la fragilité des choses. Pour tous, des symboles dont le sens était évident.

I

Heel dun, doorschijnend licht haast, schildert Frans Hals een man, die zich, heel genoeglijk, te goed heeft gedaan aan drank. Niet langer past de schilder veel zwart toe. Dat is er bijkans uit verdwenen, hoewel het daardoor toch niet een kleurrijk schilderij werd. Maar ondanks weinig kleur maakt het toch een feestelijke indruk. De onbekende drinkebroer heeft het glas vast bij de voet, want zo bood men toen een ander een glas aan. Want hij heeft al genoeg gehad met zulke rood-verhitte koontjes.

Ganz dünn, durchscheinend hell beinahe, malt Frans Hals einen Mann, der sich so recht behaglich am Trank zugute getan hat. Viel Schwarz verwendet der Maler nicht mehr; es ist fast daraus verschwunden, trotzdem es so doch kein farbenfrohes Gemälde wurde. Aber trotz wenig Farbe macht es immerhin einen festlichen Eindruck. Der unbekannte Saufbruder hält das Glas am Fuss fest, so bot man nämlich damals ein Glas jemand anderen an; er hat ja mit solchen rot erhitzten Wangen schon genug gehabt.

非常に淡く，殆んど透明な光で，フランス・ハルスはほんの少し飲み過ぎて，陽気になっている男を描いている。彼は余り黒を用いていない。といって余り色彩の豊かな絵でもない。しかし，色彩が少ないにも拘らず，そこにはお祭り気分が感じられる。名もない酔っ払いは，グラスの足を持っているが，当時，人々はこうして人に酒をすすめたのである。もう彼は十分に飲んでいるので，頬がこんなに赤くなっている。

Very thinly, almost transparently, Frans Hals has painted a man who, obviously enjoying himself, has had a drop too much. This artist no longer uses a great deal of black. That has almost all disappeared, although the painting has not become a colourful one because of it. But despite little colour, it still makes a gay impression. The unknown tippler is holding the glass by its foot; that was how a drink was offered to someone else. For, with those flushed cheeks, he has obviously had enough himself.

A livianos, casi transparentes, toques, traza Frans Hals los rasgos de un hombre que regocija el vino. El pintor ha casi abandonado el negro, pese a lo cual es en extremo sobria su gama de colores. Esto, sin embargo basta, para darnos una impresión festiva. El bebedor desconocido parece decir: '¿ Vdes. gustan?' y solicitarnos, con la copa presentada por el pie, de rigor en aquellos tiempos, para que le imitemos.

D'une pâte très légère, presque transparente, Frans Hals nous montre un bonhomme qui a bu à cœur joie. Cette fois, le peintre n'a presque pas employé de noir, cette couleur a presque disparue de sa palette mais son ouvrage n'est pourtant pas très coloré. Malgré cela, l'ensemble a un air de fête. Le buveur anonyme tient son verre par le pied: c'était alors la manière d'offrir un verre. Et en effet, il a bien son compte, nous le voyons à ses pommettes enluminées.

Een vrouw trekt kousen aan. Of uit. En Jan Steen ziet de striemen van kousebanden nog in haar benen staan. Ze zit er niet erg zorgvuldig bij. Ze is dan ook gewoon, argeloos bezig: sloffen liggen uitgeschopt achtergelaten op een mat, die net eventjes schuin over rechte plavuizen ligt. Maar alles heeft heel overwogen zó en dáár zijn plaats gekregen. Allerlei echt menselijke trekjes en karakteristieke houdingen moet Jan Steen wel scherp hebben opgemerkt, in zijn geheugen opgenomen en vastgelegd in de honderden schilderijen die hij maakte.

Eine Frau zieht Strümpfe an. Oder aus. Jan Steen sieht aber die Strumpfbandstreifen noch auf ihren Beinen stehen. Sie sitzt ein wenig schlampig da. Sie ist jedoch auch, wie sie es gewöhnt ist, sorglos beschäftigt: Pantoffel liegen ausgestossen, gelassen auf einer Matte, die gerade ein wenig schief auf den geraden Fliesen liegt. Alles hat jedoch wohlüberlegt hier und dort seinen Platz bekommen. Jan Steen muss wohl allerlei menschliche Züge und charakteristische Haltungen scharf wahrgenommen, sie in seiner Erinnerung aufgenommen und in den Bildern, die er machte, festgelegt haben.

女は靴下をはこうとしている。あるいは脱ごうとしているのだろうき。ヤン・スティーンは、彼女の足にまだ残っている靴下止の跡まで見せている。彼女は無造作に腰かけ、自然で無邪気な仕草である。スリッパは、床の上に少し斜めに置かれたマットの上に、脱ぎすてられてある。すべて、配慮のゆきとどいた配置である。きわめて人間的なタッチと、個性的な形を、ヤン・スティーンは鋭く観察し、記憶に止め、彼の何百という作品に固定さてている。

A woman is putting on her stockings. Or taking them off. And Jan Steen still sees the marks left by the garters on her legs. She is not exactly sitting with propriety. But then, she is quite guilelessly occupied: slippers lie where she has kicked them off, on a mat that is lying just a little crookedly on the straight flagstones. Jan Steen must have noticed all kinds of human traits and characteristic poses, recorded them in his memory, and then put them to canvas in his hundreds of paintings.

Una mujer se calza o quita las medias. Jan Steen nos muestra las carnes magulladas por las ligas. No es mujer muy hacendosa. Se la ve absorta en su quehacer sin preocupación: las zapatillas están tiradas en el suelo; ni la alfombra está derecha con el patrón de las losas. No obstante, cada objeto se halla en un sitio largamente premeditado. Jan Steen era un aficionado y penetrante observador de las manías y rasgos típicos de las gentes. Los iba sacando de su memoria mientras componía cuadros, que a centenares nos ha dejado.

Une femme enfile ses bas …ou les retire… Et Jan Steen voit la marque des jarretières sur ses jambes. Elle n'a pas l'air très soignée. Son geste est banal, sans arrière-pensée. Elle a jeté ses savates sur un paillasson qui gît de travers sur le carrelage. Mais tout le tableau est composé suivant un schéma bien réfléchi. Jan Steen a dû observer d'un œil aigu toutes sortes de traits vraiment humains, d'attitudes caractéristiques, les a retenus et réemployés dans les centaines de peintures qu'il a exécutées.

3

Een kwakzalver heeft een boer gesneden van de kei; hij toont de oorzaak van veel pijn aan andere, niet al te snugger uitziende plattelanders. Een kei is een gezwel, dat de dokter er in de 17e eeuw uitsneed. Maar 'gekweld worden door de kei' betekent ook dat iemand allerlei dwaasheden begaat. Te veel drinkt, bijvoorbeeld: de dronkelap in de kruiwagen is er daardoor niet best aan toe. Op zijn eigen, gemoedelijke wijze, wijst Jan Steen er op, dat mensen die zich aan drank te buiten gaan erg dom doen. Staat daarom ook een ezel tussen de boeren?

Ein Quacksalber hat bei einem Bauern sein Geschwür ausgeschnitten; er zeigt die Ursache vieler Schmerzen anderen, nicht allzu klug aussehenden Landbewohnern. Ein 'kei' ist eine Geschwulst, die der Arzt im 17. Jahrhundert ausschnitt. Jedoch bedeutet 'von der Kei gequält werden' auch, dass jemand allerlei Dummheiten macht. Zu viel trinkt, z.B.: Der Säufer im Schubkarren ist hierdurch recht übel dran. Nach seiner eigenen, treuherzigen Art weist Jan Steen darauf hin, dass Menschen, die sich zu sehr am Trank zugute tun, recht dumm sind. Steht deshalb ebenfalls ein Esel zwischen den Landleuten?

藪医者が農夫のこぶを切っている。彼は痛みの原因を，余り頭のめぐりのよさそうには見えない田舎者達に示している。こぶがもり上ってくると，十七世紀の医者は切った。しかし，「こぶで苦しむ」ということは，あらゆる馬鹿をやることを意味する。例へば大酒を飲み，一輪車にはまってしまうことなどは決してよいことではない。独特の穏やかな方法で，ヤン・スティーンは，大酒飲みはとかく馬鹿なことをするものだということを示している。それ故に農夫達の間に，ロバがいるのだろうか。

A charlatan has cut the stone from a farmer; he reveals the cause of great pain to other, not too bright-looking, rustics. A stone was a swelling that doctors in the 17th century cut out of people. But 'tormented by the stone' also meant that someone was a prey to all kinds of folly. He drank too much, for instance: the drunkard in the wheelbarrow is in a bad way. Jan Steen, in his own good natured manner, points out that people who drink to excess do very stupid things. Is that why there is a donkey there among the farmers?

El charlatán acaba de extraerle una muela al campesino y se la está mostrando a los curiosos, cuyo acontecimiento tiene la ventaja de arrancarlos por un rato del torpor en que yacen. Se alude a la escisión de los abscesos practicada en el XVII por el doctor. El 'dolor de muelas' también tenía significado de locuras, siendo una, por ejemplo, el beber demasiado, como vemos en el malparado borracho de la carretilla. Jan Steen quiere convencernos de que quien bebe sin medida está falto de juicio. ¿No se halla por ahí entre los rústicos un burro?

Un charlatan a opéré un paysan de la 'kei'; il montre à d'autres villageois qui n'ont pas l'air bien malins non plus, la cause de tant de souffrances. La 'kei' est une tumeur que les médecins du 17ème siècle enlevaient. Mais 'tourmenté par la kei' signifie aussi faire toutes sortes de sottises, boire par exemple. Le clochard qui git dans une brouette, ne parait pas en très bon état. A sa façon pleine de bonhommie, Jan Steen suggère que ceux qui s'abandonnent à la boisson font une sottise. Est-ce pour cela qu'il a placé un âne au milieu des paysans?

Op 5 december gooit Sint Nicolaas geschenken door de schoorsteen. Kinderen zingen daarbij: Wie zoet is krijgt lekkers, wie stout is de roe. Het meisje heeft een pop gekregen, de jongen was stout, hij vond de roe in zijn schoen. Hij wordt uitgelachen, maar grootmoeder haalt toch nog een kadootje voor hem uit de bedstee. In een heel doordachte compositie heeft de schilder elk gebaar, elke kop, de stillevens, achteloos neergegooid schoeisel, snoep en speelgoed opgenomen. Gezellige wanorde is typisch voor Jan Steen, maar dat heeft niets te maken met zijn eigen levenshouding, zoals men wel eens ten onrechte denkt.

Am 5. Dezember wirft St. Nikolaus Geschenke durch den Kamin. Kinder singen dazu: Wer brav ist, kriegt Leckeres, wer bös ist, die Rute. Das Mädchen hat eine Puppe bekommen, der Junge war bös, er fand die Rute in seinem Schuh. Er wird ausgelacht, die Grossmutter holt aber doch noch ein kleines Geschenk für ihn aus der Bettnische. In einer ganz genau erwogenen Komposition hat der Maler jede Gebärde, jeden Kopf, die Stilleben, achtlos hingeworfenes Schuhzeug, Naschwerk und Spielzeug aufgenommen. Trauliche Unordnung ist für Jan Steen typisch, dies hat aber mit seiner eigenen Lebenshaltung garnichts zu machen, wenn man auch manchmal ohne Grund so denkt.

12月5日、セント・ニコラスは贈り物を暖炉から投げ込む。子供達はこんな風に歌う。良い子は素敵な物もらい、悪い子は鞭の小枝をもらう。女の子は人形をもらった。男の子は悪い子で、靴の中に鞭の小枝を見付けた。彼は笑われている。でも、その代わりに、お婆さんが別の贈り物をベッドの中から取出そうとしている。非常に配慮のゆきとどいた構図で、一人一人の動作、表情、乱雑に投げ出されている靴、お菓子、玩具などを描いている。陽気な混乱は、ヤン・スティーン特有のものであるが、これは、時に人々が誤解しているような、彼の生活態度とは、全く無関係なものである。

On the 5th December St. Nicholas throws presents down the chimney. Children sing in accompaniment: The good child gets presents, the bad child the birch. The girl has been given a doll; the boy was naughty and found the birch in his shoe. Everyone is laughing at him, but Grandmother is getting a present for him out of the bedstead. In a thoroughly well thought-out composition the artist has recorded every gesture, every head, the still-lifes, the shoe casually discarded. A genial disorder is typical of Jan Steen, but this has nothing to do with his own attitude to life, as is sometimes, unjustifiably, thought.

El día de San Nicolás es fiesta. Los niños cantan para que el Santo les eche regalos por el canal de la chimenea. La canción dice: Golosinas para los buenos y para los malos palos. La niña ha recibido una muñeca, el niño, por travieso, una vara en su zapato. Se ríen todos, aunque la abuelita, apiadada, ya está en la alcoba buscando un regalito. La composición es prueba de madura reflexión: cada gesto, rostro y bodegón, el calzado al suelo, los dulces y los juguetes, están en su sitio predeterminado. El ambiente de alegre despreocupación es tema típico de Jan Steen y no de su modo de vivir, como se lo figuran tantos.

Le 5 décembre, St Nicolas apporte des cadeaux. Les enfants chantent: 'Celui qui est sage, aura des bonbons, et qui est méchant, recevra des verges.' La petite fille a reçu une poupée, mais son frère a été méchant et trouve des verges dans son soulier. On se moque de lui. Mais la grand'mère va lui chercher un cadeau dans l'alcôve. Dans cette scène très composée, le peintre a tiré parti de chaque geste, chaque visage, chaque objet: une chaussure oubliée, des bonbons, des jouets. Ce désordre chaleureux est typique de Jan Steen, mais n'a rien à voir avec sa vie privée.

In een kamer van een doorsnee Hollands gezin wordt muziek gemaakt en gezongen, gedronken en gerookt. Er heerst een luidruchtige gezelligheid. Daar doen zelfs de kleuren aan mee. Maar er schuilt altijd wel een levensles in de schilderijen van Jan Steen. Op een papier bij de schoorsteen staat: Soo d'oude songen, soo pypen de jonge, wat wil zeggen, dat jeugd het voorbeeld van ouderen navolgt. En wat Jan Steen vindt van het voorbeeld dat deze ouderen hier geven, blijkt wel uit o.a. de gebroken eierschaal en leeg en onnut vaatwerk, wat in de 17e eeuw best begrepen werd als toespeling op verkwisting.

In einer holländischen Durchschnittsfamilie wird im Zimmer musiziert und gesungen, getrunken und geraucht. Eine geräuschvolle Stimmung herrscht. Sogar die Farben tun daran mit. Jedoch ist wohl immer in den Bildern von Jan Steen eine Lebenslehre verborgen. Auf einem Papier beim Schornstein steht: Sood'oude songen, pypen de jonge, d.h. daß die Jugend dem Vorbild der Älteren folgt. Und was Jan Steen vom Beispiel, das diese Älteren hier geben, findet, zeigt sich wohl u.A. aus der zerbrochenen Eierschale und leerem und untauglichen Geschirr, was im 17. Jahrhundert deutlich als Anspielung auf Vergeudung begriffen wird.

きわめて平凡なオランダの家族の一室で音楽が奏され，歌が歌われ，酒が飲まれ，煙草がすわれている。騒々しいが，いかにも楽しげである。色彩まで一緒に楽しんでいる。しかし，ヤン・スティーンの絵の中には，常に人生教訓が描き込まれている。暖炉のそばの紙には，「大人が歌うと子供がピイピイ真似をする」と書いてある。これは，若者は大人の真似をするものだということである。ヤン・スティーンは，大人達の手本として，特に，壊れた卵の殻や，空で使えない瀬戸物類を描いているが，これらは17世紀には，浪費を意味するものであった。

In the house of an average Dutch family, there is music and singing, drinking and smoking. A noisy conviviality prevails. Even the colours contribute. But there is always a moral concealed in Jan Steen's paintings. On the paper near the fireplace is written: *Soo d'oude songen, pypen de jonge*, which means that youth imitates their elders' example. And what Jan Steen thinks of the example set by these elders is obvious from the broken egg shell, the empty and unused dishes, which, in the 17th century, implied extravagance.

En el comedor, la familia, de clase media holandesa, está de fiesta. Tocan música, cantan y fuman. El ambiente es alegre y ruidoso, incluso la coloración. Jan Steen pinta siempre con intenciones moralizantes. En un papel prendido en el cuerpo de la chimenea, dice un refrán que los pajarillos pían como trinan quienes los crían, cuyo significado es que la juventud imita a las mayores. Lo que el pintor opina de estos padres no deja lugar a dudas: véanse la cáscara rota del huevo y los utensilios del servicio rodando por el suelo. El s. XVII criticaría todo esto, atribuyéndolo a despilfarro.

Dans cette salle, une famille hollandaise fait de la musique, chante, boit et fume. Il règne là une bruyante intimité à laquelle les couleurs contribuent aussi. Mais il faut toujours chercher une morale dans les peintures de Jan Steen. Sur un papier, près de la cheminée, on peut lire 'Comme chantent les vieux, pépient les jeunes', c'est à dire: la jeunesse suit l'exemple des vieux. Et ce que Jan Steen lui-même pense de l'exemple donné par ces parents, nous le comprenons en voyant sur le sol une coquille d'œuf brisée et une jatte vide, ce qui au 17 ème siècle signifie gaspillage.

Hij had die rampspoed wel voorspeld. Vanuit de grot – waarin de profeet zich in eenzaamheid heeft teruggetrokken – durft hij nauwelijks om te kijken, naar die vechtende soldaten, brandende stad en vluchtende bewoners. Het gouden vaatwerk en de heilige geschriften heeft hij uit de tempel kunnen redden. Dat trekt de aandacht, doordat daar licht op valt en de rest in het donker blijft. Door dat spel van licht-en-donker ontstaat ook die diepe ruimte. Rembrandt weer er bovendien een sfeer mee op te roepen, die goed past bij de stemming van die treurende profeet.

Wohl hatte er das Unglück vorhergesagt. Aus der Grotte, worin der Prophet sich einsam zurückgezogen hatte, traut er sich kaum, sich nach den fechtenden Soldaten, der brennenden Stadt und den flüchtenden Bewohnern umzusehen. Das Goldgeschirr und die heiligen Schriften hat er aus dem Tempel retten können. Sie ziehen die Aufmerksamkeit auf sich, da das Licht auf sie fällt und der Rest dunkel bleibt. Aus diesem Spiel von Hell und Dunkel entsteht auch die Raumtiefe. Rembrandt weiss gerade damit eine Sphäre heraufzubeschwören, die gut zur Stimmung des trauernden Propheten passt.

彼はこの不運を予言していた。この予言者が遁世していた洞穴からは、戦う兵士達、炎上する市街、逃げまどう人々などは殆んど見えない。黄金の聖杯と聖書を神殿から持出すことはできた。そこに光があたって、他は暗部となっている。この明暗の働きが、奥行のある空間を作り出している。レンブラントは、それが悲嘆にくれる予言者の様子と、よく調和した雰囲気を喚起するものであることを知っていた。

He had predicted the calamity. From the cave into which the prophet has withdrawn in isolation, he hardly dare look back at the battling soldiers, the burning city and the fleeing inhabitants. He has managed to save the gold vessels and the sacred scriptures from the temple. They attract attention because of the light that falls on them, while the rest remains dim. That great depth, too, comes about through the play of light and shadow. What is more, Rembrandt knows how to evoke an atmosphere that fits well with the mood of the grieving prophet.

Ya había previsto la catástrofe. En la soledad de la gruta, la aprensión impide a Jeremías levantar la vista hacia los combatientes, la ciudad incendiada y los fugitivos. A su lado, las vasijas áureas y la Historia Sagrada por él rescatadas en el Templo, centran la atención, en virtud de la luz convergente en ellas, mientras lo demás se esvanece en sombra. El juego del claroscuro nos da una sensación de espacio. Rembrandt crea asimismo el ambiente mejor adaptado a la tristeza del profeta.

Il avait prévu la catastrophe. De la grotte solitaire où il s'est réfugié – loin de tous – le prophète ose à peine regarder les soldats combattants, la ville incendiée et les fuyards. Il a pu sauver un vase d'or du temple et les textes sacrés. Nous remarquons ces objets parcequ'ils baignent dans la lumière tandis que le reste est obscur. Ce contraste donne une impression de profondeur. Rembrandt crée ainsi une atmosphère dramatique qui répond à l'affliction du prophète.

Een geheimzinnig licht-donker effect schept intimiteit in de donkere ruimte. Een licht legt een glans over mantel en hoofddoek. Het valt op het boek, dat een zacht schijnsel weerkaatst op haar gezicht. Licht vestigt aandacht op hand en boek. De letters blijken echter alleen maar wat grijzige streepjes te zijn. De meeste aandacht krijgt de hand, met al die rimpeltjes en adertjes. Rembrandt laat die hand niet alleen maar zien: hij benadrukt het levend-zijn er van en maakt iets duidelijk van de inspanning die het lezen die oude vrouw moet kosten.

Ein geheimnisvoller Hell-Dunkeleffekt erzeugt Intimität im dunklen Raum. Ein Licht legt seinen Glanz auf Mantel und Kopftuch. Es fällt auf das Buch, das einen schwachen Schimmer auf ihr Gesicht zurückstrahlt. Das Licht lenkt die Aufmerksamkeit auf Hand und Buch. Die Buchstaben zeigen sich jedoch nur als etwas graue Strichlein. Die grösste Beachtung bekommt die Hand mit all ihren Fältchen und kleinen Adern. Rembrandt lässt die Hand nicht nur sehen: er betont ihr Lebendigsein und verdeutlicht damit die Anstrengung, die das Lesen die alte Frau kosten muss.

暗い空間の中で、神秘的な仄かな光が非常に効果的である。光は外衣と頭巾に光沢をあたえている。本の上に落ちた柔らかいほのかな光が、彼女の顔に映えている。光は本と手に集中している。文字は灰色の筋として描かれているだけで、最大の関心は節々と、静脈のみえる手にある。レンブラントは、この手を単に見たままでなく、その人生を強調し、老いた母が読書に費やさねばならない勢力をも示そうとしている。

A mysterious effect of light and shadow creates intimacy in the dark room. A light casts a sheen over cloak and cap. It falls on the book, which reflects a soft glow on to her face. Light focuses attention on hand and book. But the letters prove to be merely some greyish strokes. The hand receives the most attention, with all those wrinkles and veins. Rembrandt does not just simply show us the hand: he stresses the aliveness of it and reveals something of the effort it must cost the old woman to read.

El misterioso efecto del claroscuro sugiere la intimidad del aposento. Un rayo brillante de luz orla la capa y la caperuza de la anciana para luego deslizarse hasta las páginas abiertas y reflejar el rostro. La claridad baña la mano y el texto, aunque las letras tan solo son unas rayitas pardas. Todo el acento recae en esa mano, en sus finísimas arrugas y venas. Rembrandt no nos la muestra por casualidad: es expresión de la vitalidad de su dueña y del empeñado afán con que lee ella.

Du clair-obscur mystérieux émane une impression d'intimité. La lumière caresse sa coiffure et son vêtement, illumine le livre et se reflète doucement sur son visage. Son éclat fixe l'attention sur sa main et sur le livre, dont les caractères ne sont que vaguement indiqués. C'est la main, avec ses rides et ses veines saillantes, qui attire surtout le regard. Rembrandt ne se contente pas de nous la montrer, il nous fait sentir combien elle est vivante et quel effort la lecture coûte à cette vieille femme.

Niet de man, maar zijn tulband lijkt het onderwerp en het is weer het licht, dat dit veroorzaakt. Amsterdam was in Rembrandts tijd al centrum van handel met oosterse landen. Hij moet wel oosterse typen gezien hebben langs de grachten en rondom de havens. Deze voorname oosterling is heel beweeglijk geschilderd, met golvende vormen: het is een barok schilderij. Dat barokke spreekt ook uit de houding van die man. Er gaat iets groots van hem uit, hij lijkt indruk op ons te willen maken.

Nicht der Mann, sondern sein Turban, scheint der Vorwurf zu sein und wieder ist es das Licht, das dies verursacht: Amsterdam war schon in Rembrandts Zeit das Handelszentrum mit den orientalischen Ländern. Er muss wohl morgenländische Typen bei den Kanälen und um die Häfen herum beobachtet haben. Dieser vornehme Orientale ist sehr beweglich gemalt, mit welligen Formen; es ist ein barockes Bild. Das Barocke ergibt sich auch aus der Haltung des Mannes. Etwas Grossartiges geht von ihm aus, es scheint, als wolle er auf uns Eindruck machen.

光線の具合から人物ではなく，彼のターバンがこの絵の主題であることがわかる。アムステルダムは，レンブラントの時代，すでに東洋諸国との取引の中心地であった。彼は運河ぞいに，港のまわりに東洋の風物を見ていたに違いない。この優雅な東洋風の人物は，曲線を用いて非常に生き生きと描かれている。これはバロック風の絵画である。バロック様式はこの男の態度にも見られる。彼の様子から，我々は何か偉大なものを感じる。

Not the man, but his turban, seems to be the subject, and once again it is the light that brings this about. Even in Rembrandt's day Amsterdam was a centre of trade with eastern countries. He could not have avoided seeing oriental types along the canals and around the harbours. This distinguished oriental has been painted with great mobility, with undulating forms; it is a baroque painting. That baroque is also expressed in the attitude of the man. There is a certain majesty about him; it would seem that he desires to impress.

No el sujeto sino el turbante destaca y el trasluz determina, una vez mas, el efecto. Era ya centro del comercio con las Indias Amsterdam en época de Rembrandt y él habrá visto a buen seguro desfilar sendos tipos orientales en sus paseos por muelles y canales. La pintura es ondulante, movimentada, barroca y también barroco es el ademán del personaje. Nos impone respeto, respira grandeza la figura.

On pourrait croire que le sujet de ce tableau n'est pas l'homme lui-même mais son turban; c'est encore la lumière qui nous donne cette impression. Au temps de Rembrandt, Amsterdam était déjà un centre de commerce avec l'Orient. Il a sans doute vu des orientaux le long des canaux et près du port. Ce personnage important est peint en un style mouvementé, avec des formes onduleuses, baroques enfin. L'attitude du modèle l'est aussi. Quelque chose de grandiose émane de lui, comme s'il cherchait à nous impressionner.

Een landschap van dichtbij gezien: een man komt van links. Hij geeft het begin aan van een beweging, die door heel het schilderij gaat: via de weg over de brug, langs bomen en struiken; de ploegende boer en het bootje doen mee aan die hoofdbeweging. De richting ervan wordt gemarkeerd door licht. Dat komt ook van links, strijkt over de weg, hecht zich op die wonderlijk blinkende boom in het centrum en flitst over bomen en waterkant. Vooral bij de brug en in de lucht ontstaat een boeiende afwisseling van licht en donker.

Eine Landschaft aus der Nähe: Ein Mann kommt von Links. Er gibt den Anfang einer Bewegung an, die durchs ganze Gemälde geht, vom Wege aus über die Brücke, an Bäumen und Sträuchern vorbei; der pflügende Bauer und der kleine Kahn schliessen sich der Hauptbewegung an. Ihre Richtung wird vom Licht markiert. Es kommt ebenfalls von Links, gleitet über den Weg, heftet sich auf den merkwürdig glänzenden Baum in der Mitte und leuchtet über Bäume and Ufer. Insbesonders bei der Brücke und in der Luft entsteht ein fesselnder Wechsel von Hell und Dunkel.

写実的な風景画である。一人の男が左の方からやって来る。彼が動きの始まりであり、その動きは、この絵全体に広がってゆく。すなわち道づたいに橋をこえ、木々の繁みにそってゆくと、畑を耕す農夫と小舟があり、それが主要な動きとなっている。その動きの方向が、光によって示されている。光も左側からきて道を照らし、中央にある明るく輝いている樹に静止し、樹々や水際を瞬間的にかすめてゆく。特に橋の近くと空は、明暗の魅惑的な移り変わりを見せている。

A landscape seen from near by. A man enters on the left, marking the beginning of a movement that continues throughout the painting: by way of the road over the bridge, past trees and shrubs; the ploughing farmer and the boat join in with that primary motion, whose direction is indicated by light. It enters the scene from the left too, skims along the road, fastens itself to that wonderful scintillating tree in the centre, and flashes over other trees and water's edge. An exciting interplay of light and shadow develops, particularly at the bridge and in the sky.

Un caminante llega por la izquierda. Su gesto inicia una vibración a través del cuadro, insinuándose por el camino, el puente, rozando los árboles, los matorrales, el labrador y la embarcación, en zaga a la luz, también proveniente de la izquierda. Al deslizarse en el camino, aquella, de pronto, se encapricha con el árbol resplandeciente, en el centro, para luego continuar en la arboleda, hasta orillas del agua. En el puente y cielo, en particular, fascinan los matices ora luminosos, ora umbrosos.

On voit ce paysage de près: un homme passe de droite à gauche et il semble que ce mouvement entraîne tout; le chemin qui passe le pont, les arbres et les fourrés, le paysan à sa charrue et même le bateau. La lumière nous donne sa direction: elle vient aussi de la gauche, souligne la route en passant, illumine étrangement cet arbre au centre du tableau et jette des rayons sur la berge et sur les feuillages. Près du pont et dans le ciel surtout, lumière et ombres alternent de manière captivante.

Het portret van deze rijke koopmansdochter is in opdracht gemaakt. En dan werkt Rembrandt dikwijls nog volgens de normen van de Amsterdamse traditie. Dat ligt zakelijk gezien nogal voor de hand en er ontstaan dan zeker niet minder goede schilderijen. Hij heeft veel aandacht voor het gezicht. Daarin valt niet minder karaktertekening te lezen dan men wel meent te ontdekken in zijn vrije werk. Maar er is evenveel aandacht voor kleding en sieraden: kant is met evenveel finesse gedaan als het haar. Het is een typisch voorbeeld van zijn modieuze schildertrant van die dagen.

Das Porträt dieser reichen Kaufmannstochter ist nach einem Auftrag verfertigt. Und dann arbeitete Rembrandt oft noch nach den Normen der Amsterdamer Tradition. Vom geschäftlichen Standpunkt aus liegt dies natürlich auf der Hand und es entstehen sicherlich nicht weniger gute Bilder. Das Gesicht hat seine besondere Aufmerksamkeit. In ihm kann man nicht weniger Charakterschilderung lesen, als man in seiner freien Arbeit wohl zu entdecken meint. Er ist aber genau so bedacht auf Kleidung und Schmuck: Spitzen sind ebenso fein getan wie das Haar. Ein typisches Beispiel des Modemalerstils jener Zeit.

この富裕な商人の娘の肖像は，注文によって制作された。レンブラントも，アムステルダムの伝統に従って，時々このような仕事をしている。彼が経済上の都合から，この絵を制作したのは明らかであるが，出来の悪いものでは決してない。彼は表情に注目している。そこには，彼の自由な仕事に見られるのと同じような，個性的なものが読まれる。しかし，衣装や装身具には非常に関心を払っている。レースは髪の毛と同様，繊細に描かれている。これは，当時流行した絵画法の，典型的な作品である。

This portrait of a rich merchant's daughter was made to commission, and Rembrandt then often followed the standards of the Amsterdam tradition. From a business angle this was quite plausible, but it in no way implies that inferior paintings resulted. He has devoted great care to the face; there is no less 'character' to be found here than in his private work. But an equal amount of care has been given to clothing and jewelry: the lace has been painted with as much subtlety as the hair. It is a typical example of his fashionable style of painting.

Un rico mercader encarga a Rembrandt el retrato de su hija. Aquel suele pintar entonces según las reglas de la tradición Amstelodense, acaso con algún motivo económico, sin quitarle de ninguna forma a la calidad de la obra. Aquí el maestro se detiene a detallar el rostro, cuyo caracter pictórico no desmerece en nada comparando con su trabajo autónomo. La pintura del traje y de las joyas es exacta y sutil la del encaje o del cabello. Es exponente de la elegancia de su obra en esa época.

C'est sur commande que Rembrandt peignit ce portrait de la fille d'un riche marchand. Aussi s'est-il plié aux règles du genre de mise à Amsterdam. C'était une nécessité et la peinture n'en est pas moins bonne. Le visage est étudié avec grand soin. Nous y trouvons des traits de caractère au moins aussi intéressants que dans les œuvres peintes d'inspiration. Mais bijoux et vêtements n'ont pas été négligés: dentelle et chevelure sont détaillées avec finesse. C'est un exemple caractéristique des portraits mondains peints par Rembrandt dans cette période.

Een onjuiste bijnaam, De Nachtwacht. Deze schutters zijn geen nachtwakers en het is hier geen nacht. In 1946 kwam het doek, na een schoonmaakbeurt, stralend licht te voorschijn vanonder een vuile, donkere vernislaag. Rembrandt rangschikt deze negentien afzonderlijke portretten – heel ongebruikelijk toen – tot een levendig groepsportret. Deze mannen horen echt bij elkaar en doordat ze samen wat doen, is er werkelijk leven. Ook door een hondje en kinderen die nieuwsgierig komen kijken naar dat uitrukkende vendel. Is dat meisje een marketenster, met die kip aan haar ceintuur? Is dat beest een symbool, dat wij niet meer begrijpen?

Ein unzutreffender Spitzname, Die Nachtwache. Diese Schützen sind keine Nachtwächter und hier ist es nicht Nacht. 1946 kam das Gemälde nach einer Reinigung strahlend hell aus einer schmutzigen, dunklen Firnislage ans Licht. Rembrandt ordnet diese neunzehn gesonderten Porträte-damals vollkommen ungebräuchlich-in ein lebendiges Gruppenbild. Diese Männer gehören eigentlich nicht zusammen und, weil sie zusammen etwas tun, entsteht wirkliches Leben, wie auch von einem Hündchen und Kindern, die neugierig herbeilaufen, um das ausrückende Fähnlein zu sehen. Ist das Mädchen mit dem Huhn an seinem Gürtel eine Marketenderin? Ist das Tier ein Symbol, das wir nicht mehr begreifen?

「夜警」という誤った別称で知られている絵である。この市民部隊は夜警ではないし、これは夜でもない。この絵は1946年に、色が褪せ、黒ずんでいるのを修復したときに、輝ける光線がよみがえってきた。レンブラントは、この19人の特殊な肖像を、当時としては珍しい、生き生きとした群像として配した。彼らは一団となって行動し、そこに生命感がある。夫や部隊の行進を、物珍し気に見にきた子どもたちの様子からも、それは感じられる。鶏をベルトにぶらさげている少女は部隊付きの小間使であろうか。鶏は何かの象徴であろうか。

An inaccurate nickname, the Night Watch. These guardsmen are no nightwatchmen, nor is it night. The canvas was cleaned in 1946 and brilliant light appeared from underneath a dark, dirty layer of varnish. Rembrandt arranged these nineteen individual portraits into one animated group portrait – very unusual in those days. These men really do belong together and because they are doing something together, it is really alive. Because of the dog and the children, too, who have come to look on curiously at the marching out of the guards. That girl with a chicken on her belt, is she a sutler? Is the bird a symbol that we no longer recognise?

Se dice, erróneamente, 'La Ronda de Noche', pues ni se trata de serenos, sino de carabineros, ni es tampoco escena nocturna. En 1946, limpiado el lienzo de la capa sucia de barniz, recobraba su radiante luminosidad. Rembrandt reúne – estilo inhabitual entonces – diecinueve retratos individuales. Todos respiran vida. La acción común es lo que tanta realidad les presta. La jovencita y el perro, atraídos por el ruido y la curiosidad, contribuyen en el efecto. ¿Indica el pollo colgado de la cintura, que la muchacha volviera del mercado? ¿O es símbolo que no entendemos ya?

La Ronde de Nuit, un titre inexact. Ces arquebusiers ne sont pas des veilleurs, et nous sommes en plein jour. Un nettoyage (1946), fit disparaître une couche de vernis sombre et le tableau apparut dans une lumière rayonnante. Rembrandt a su ici grouper dix-neuf portraits différents en un groupe plein de vie. Parceque tous ces hommes sont absorbés par la même activité, l'ensemble est vraiment vivant. Le petit chien, les enfants curieux l'animent plus encore. Qui est cette fillette, une poule pendue à la ceinture? une vivandière? Est-ce là une allusion que nous ne comprenons plus?

Met een autoritair gebaar zet de kapitein kracht bij aan zijn bevel. Met licht en donker schept Rembrandt ruimte in dit toch platte vlak van het schilderij: de bevelende hand steekt schuin vooruit, de ruimte in, doordat schaduw valt op het jasje van de luitenant. Zo is dat ook het geval met diens pronkwapen. Temidden van geweer-exercerende schutters vormt het hoofd van de kapitein een rustpunt tegen het grijs van het schild achter hem. Door de lichtaccenten op de figuren links en rechts naast hem wordt hij óók tot hoofdpersoon.

Mit einer autoritären Geste bekräftigt der Hauptmann seinen Befehl. Mit Licht und Dunkel schafft Rembrandt Raum in der doch ebenen Fläche des Gemäldes: die Befehlshand streckt sich schief nach vorne in den Raum, weil ein Schatten auf den Waffenrock des Leutnants fällt. Auch ist dies so bei seiner Prunkwaffe. In der Mitte der gewehrexerzierenden Schützen bildet der Kopf des Hauptmanns einen Ruhepunkt gegen das Grau des Schilds hinter ihm. Infolge der Lichttöne auf den Figuren links und rechts neben ihm wird er ebenfalls die Hauptperson.

威厳のある身振りで，隊長は彼の命令を強調している。レンブラントは明暗をつけることで，平面に立体感を与えている。斜めに差し出された手は，影を副隊長の上着におとしている。立体感は副隊長の飾りの剣にもある。灰色の盾を背後にして，隊長の頭部は，動いている銃士達の間で静止点となっている。左右の人物の明暗の具合などからも，彼はこの絵の中心人物である。

The captain punctuates his order with an authoritative gesture. By light and shadow, Rembrandt creates depth in what is, after all, a flat plane of paint: because of the shadow falling on the lieutenant's jacket, the commanding hand seems to thrust forward into space. It is the same with his sword. Amid the guardsmen presenting arms, the captain's head forms a point of rest against the grey of the shield behind him. The accents of light on the figures on either side have made him the principal character.

El gesto de la mano subraya la autoridad del capitán. Luces y sombras confieren perspectiva al escenario escaso, si no, de relieve. Recae en el traje del teniente la sombra de esta mano, que parece salirse del lienzo en línea oblícua. Así también el arma adornada de éste. Entre alabarderos y carabineros, en el trasfondo del escudo pardo y entre los acentos luminosos esparcidos aquí y allá en torno a su personalidad, destaca, serena, la faz del capitán quien asciende así al rango simultáneo de protagonista.

D'un geste autoritaire, le capitaine souligne un ordre. Le jeu des ombres et des lumières donne de la profondeur à la surface plate de la peinture: cette main jaillit vers nous, projetée en avant par son ombre qui se rabat sur les vêtements du lieutenant. L'arme de parade qu'il tient à la main répète le même effet. Au milieu de ses arquebusiers en plein exercice, le visage du capitaine se détache sur le gris d'un bouclier et forme un point de repos. Encadré de deux figures baignées de lumières, il est bien le personnage principal du tableau.

Een kwart nog maar van het schilderij dat in 1723 verbrandde: de doktoren zijn verdwenen, er is alleen nog een bediende en de handen van de chirurg die een hersensektie demonstreert. Rembrandt stelt de toeschouwer onmiddellijk tegenover de dood, door een sterk perspectivische verkorting van het lijk: het meet hier nog geen 70 cm. Anatomisch interessante bijzonderheden zijn niet in detail weergegeven. Men krijgt de indruk, dat deze dode niet zozeer is opgevat als nuchter studie-object, maar dat Rembrandt getroffen is geweest door het gezicht van de man, waaraan de dood een huiveringwekkende grootsheid gaf.

Nur noch ein Viertel des Gemäldes, das 1723 verbrannte: die Ärzte sind verschwunden, nur noch ein Gehilfe ist da und die Hände des Chirurgen, der eine Gehirnsektion demonstriert. Rembrandt versetzt den Zuschauer unmittelbar gegenüber den Tod mittels einer stark perspektivischen Verkürzung der Leiche, die hier noch keine 70 cm misst. Anatomisch interessante Einzelheiten sind nicht in Detail wiedergegeben. Man bekommt den Eindruck, dass dieser Tote nicht so sehr als nüchternes Studienobjekt aufgefasst ist, sondern, dass Rembrandt vom Gesicht des Mannes, dem der Tod eine schauerliche Grossartigkeit gab, betroffen war.

この絵は1723年，四分の一ほどを残して焼失してしまった。医師達は見えなくなり，一人の助手と，頭部の解剖を行なっている外科医の手だけが残っている。レンブラントは死者の体を，極端な透明法で70cmもない位に短くすることによって，この絵を見る人々を，死に直面させている。解剖学上の細部は描かれていない。レンブラントが，この死者を，ただ単に教材としてのみ取扱っているのでなく，死が与える恐ろしいまでの荘厳さを示している，この男の顔を描き出そうとしている印象を受けるであろう。

Only a quarter remains of the painting that was burnt in 1723; the doctors have disappeared; only a servant is left, and the hands of the surgeon demonstrating a brain dissection. Rembrandt confronts the viewer, face to face, with death, by a severe perspective foreshortening of the corpse: it measures less than 70 cm. Interesting details of anatomy are not reproduced closely. One feels that this body is not regarded simply as a study object, but that Rembrandt has been struck by the face of the man, on which death has conferred a dreadful grandeur.

Esta es la cuarta parte que nos resta de un cuadro destruído por el fuego en 1723. Vemos todavía un asistente y las manos del cirujano realizando un corte cerebral. Rembrandt nos enfrenta de inmediato con la muerte, abreviando con justeza la perspectiva del cadáver, el cual tiene unos 70 centímetros de largo. No se advierten detalles anatómicos interesantes. No pudo ser movil para captar la escena, la demostración científica, sino la emoción del artista ante la solemne y estremecedora expresión del muerto.

Nous n'avons ici que le quart de la peinture originale qui fut brûlée en 1723: les médecins ont disparus, seuls subsistent un assistant et les mains du chirurgien qui fait une dissection du cerveau. Rembrandt nous confronte directement avec la mort par ce raccourci saisissant du cadavre qui ne mesure plus que 70 cm. Les détails anatomiques ne sont pas indiqués. On a l'impression que Rembrandt n'a pas vu ce cadavre objectivement, comme un sujet d'étude, mais qu'il a été frappé par le visage de l'homme auquel la mort prête une grandeur terrifiante.

Een soldaat, met flonkerende helm en harnas, luistert gespannen naar de woordenwisseling tussen Petrus en een dienstmeisje in de hof van de hogepriester. Petrus ontkent dat hij bij Jezus was. Dan kraait de haan en Jezus wendt zich naar Petrus om. Rembrandt weet zo'n dramatisch hoogtepunt uit de bijbel met grote felheid tot leven te brengen. De spanning tussen Petrus de verloochenaar, Jezus de verloochende, de wantrouwige vrouw en de geïnteresseerde soldaten, spreekt uit de houding en de plaatsing van de figuren tegenover elkaar. De open ruimte verhoogt die dreigende spanning nog.

Ein Soldat mit funkelndem Helm und Harnisch lauscht gespannt nach dem Wortwechsel zwischen Petrus und einer Magd im Hofe des Hohepriesters. Petrus leugnet, dass er bei Jesus war. Dann kräht der Hahn und Jesus dreht sich nach Petrus um. Rembrandt versteht es, einen so dramatischen Höhepunkt aus der Bibel mit grosser Grimmigkeit lebendig werden zu lassen. Die Spannung zwischen Petrus dem Verleumder, Jesus dem Verleumdeten der misstrauischen Frau und den interessierten Soldaten, spricht aus der Haltung und Aufstellung der Figuren gegenüber einander. Der offene Raum steigert noch die drohende Spannung.

大司祭の中庭で，兵士は輝く兜と胸当てを持ち，ペトロと婢女の間の会話に耳を傾けている。ペトロはキリストの使者であることを否定している。そのとき雄鶏が鳴いて，キリストがペトロの方を振返った。レンブラントは聖書のこのような劇的な場面を，非常な鋭さで甦らせることを知っていた。否定しているペトロと，否定されたキリスト，審しんでいる女と，興味をましている兵士達の間の緊張を，そのポーズや，互いに顔を見合せている人物で示しているひろびろとした空間が，その緊張をより深めている。

His helmet and armour gleaming, a soldier listens intensely to the argument going on between Peter and a servant girl in the courtyard of the high priest. Peter denies that he was with Jesus. Then the cock crows and Jesus turns towards Peter. Rembrandt understands how to bring this dramatic Biblical highlight vividly to life. The tension between Peter the denier, Jesus the denied, the suspicious girl and the curious soldiers is expressed in the attitude and position of the figures. The open space adds to the threatening suspense.

Un soldado, el casco de la coraza resplandeciente puesto en el suelo, escucha, atento, en el patio del Alto Sacerdote, las voces de la altercación entre S. Pedro y la sirvienta. Pedro está renegando a Jesús. Y entonces canta el gallo. Es cuando Nuestro Señor levanta la mirada hacia el discípulo. Rembrandt pinta con brío este dramático momento bíblico. El ansia, en los personajes de Pedro renegando y Jesús víctima, la indignación de la mujer, la curiosidad de los soldados, son estados de alma visibles, cada uno en su lugar. Contemplando la sombría perspectiva, presentimos la última tragedia.

Casque et cuirasse étincelants, un soldat écoute attentivement les mots qu'échangent Pierre et la servante, dans la cour du palais du grand'prêtre. Pierre nie avoir été avec Jésus. Alors, le coq chante et Jésus se retourne vers son ami. Rembrandt fait revivre ce moment dramatique avec une grande violence. La tension entre Pierre, le renégat, et Jésus, la femme soupçonneuse et le soldat aux aguets, se lit dans les attitudes et dans le groupement des figures. Le cadre dégagé accentue encore cette impression de menace.

Deze enige, in leven gebleven zoon van Rembrandt en Saskia was niet een geestelijke. Hij poseert slechts in het habijt van een monnik. De schilder Rembrandt neemt zijn zoon waar als model, scherp, onbevangen: de bleekheid van het gezicht doet hij nog sterker uitkomen door die omlijsting met die ruige, bruine stof van de monnikskap. Maar de vader Rembrandt moet zijn zoon benaderd hebben met eerbied, gevoelig. Hij toont ons zijn zoon als een melancholieke, naar binnen gekeerde jongen. De warme bruine kleur, verlevendigd met wat rood en grijsgeel, maakt dit portret mild en vredig.

Dieser einzige im Leben gebliebene Sohn von Rembrandt und Saskia war kein Geistlicher. Er posierte nur in einer Mönchskutte. Der Maler Rembrandt benützt seinen Sohn als Modell; scharf, unbefangen: die Blässe des Antlitzes lässt er noch stärker durch den Rahmen des rauhen, braunen Mönchskappenstoffes erscheinen. Vater Rembrandt muss aber seinem Sohne ehrerbietig und mit Gefühl nähergetreten sein. Seinen Sohn zeigt er uns als einen schwermütigen, nach Innen gekehrten Jungen. Die warme, braune Farbe, mit etwas Rot und Graugelb lebendiger, macht dies Porträt mild und friedlich.

レンブラントとサスキアの息子は，聖職者ではない。修道士服でポーズをとっているだけである。画家としてのレンブラントは，息子をモデルとして，鋭く，偏見なく観察している。すなわち，青白い服は粗い茶色の僧帽でふちどられ，一層その度合いを強めている。しかし父親としてのレンブラントは，配慮と愛情をもって接している。彼は息子を憂愁を帯びた内気な若者として描いている。幾分かの赤と灰黄色を加えた，暖か味のある茶色が，この肖像を柔らかい，穏やかなものにしている。

This sole surviving son of Rembrandt and Saskia was not in holy orders; he is merely posing in a monk's habit. Rembrandt the painter sees his son as model, sharply, dispassionately: the pallidness of the face emerging even more strongly because of its setting in that rough, brown material of the monk's hood. But Rembrandt the father must have approached his son with reverence and sensitivity. He reveals his son to us as a melancholy, introvert boy. The warm, brown colour, enlivened by some red and greyish-yellow, makes this portrait gentle and peaceful.

Ese hijo, único en vida, de Rembrandt y su mujer Saskia, no es eclesiástico, sino que posa solamente en hábito de monje. Rembrandt pinta con precisión y sin prejuiciar del que le sirve de modelo: acentúa la palidez del rostro el capuchón de pardo paño recio. El padre contempla al hijo, compenetrándolo con discreción. Nos muestra un joven recatado y melancólico. El cálido color marrón, avivado con alegres chispas rojas o grisamarillas, dotan al retrato de serenidad, benignidad.

Titus, le seul fils de Rembrandt et Saskia qui ait vécu, n'a jamais été moine. Il a posé seulement sous cet habit monacal. Peintre, Rembrandt a observé son fils avec acuité, objectivement: il souligne la pâleur du visage en l'encadrant de l'étoffe rugueuse et brune du capuchon. Mais il est père aussi et approche son fils avec respect et sensibilité. Il nous le montre comme un jeune homme mélancolique, replié sur soi-même. Grâce à des bruns chauds qu'éveillent des touches de rouge et de gris-jaune, ce portrait dégage une douceur paisible.

Een opdracht voor Rembrandt, tien jaar voor zijn dood. Want de schilder was allerminst vergeten. De overlieden, die toezicht hielden op het verven van lakense stoffen, vroegen Rembrandt om een groepsportret. Dat gebeurde wel meer. Maar Rembrandt regisseert die vijf portretten – met dat van de knecht er achter – op niet-traditionele wijze. Hij voegt de stemmig zwarte modellen samen tot een volmaakte eenheid. De geportretteerden zijn echt levend neergezet. Toch gebeurt er niet veel in dit tafereel. Er gaat een grote rust van uit en daardoor wellicht imponeert dit schilderij zo sterk.

Ein Auftrag für Rembrandt, zehn Jahre vor seinem Tode. Der Maler war nämlich keineswegs vergessen. Die Tuchbeschauer, die das Färben von Tuchen beaufsichtigten, baten Rembrandt um ein Gruppenbild. Dies geschah übrigens öfters. Rembrandt regissiert die fünf Porträte aber – mit dem Knecht im Hintergrund – nicht traditionell. Die schlichten, schwarzen Modelle schmiedet er in eine vollkommene Einheit zusammen. Die gemalten Personen hat er richtig lebendig wiedergegeben. Im Bild selbst geschieht jedoch nicht viel. Es strahlt eine grosse Ruhe aus, wodurch das Gemälde wahrscheinlich so stark imponiert.

この絵はレンブラントの死ぬ10年前の注文作である。彼はまだ，決して忘れられていなかった。布地の染色を管理する幹部達が，レンブラントにこのグループ像を注文した。このようなことは，よくあることであった。しかしレンブラントは，後ろに一人の召使を加えて，伝統的な手法を破った五人の群像を制作した。彼は，この黒い衣装につつまれた威厳のあるモデルたちを，完全な統一体に形造った。この画面には，動きが無いのだが，ここに描かれている人々は息づいているようである。大いなる静けさの故に，この絵は力強いものになっている。

A commission for Rembrandt, ten years before his death. For the artist was not in the least forgotten. The officials who supervised the dyeing of cloth asked Rembrandt to paint their group portrait. This was not uncommon. But Rembrandt stage-managed those five portraits – and that of the servant behind them – in a manner most uncommon. He merges the grave models in black into one perfect unit. They seem really alive. Yet nothing much is happening in this scene. A great calm emanates from the painting, which is perhaps why it is so imposing.

Comanditado este cuadro diez años antes de su muerte Rembrandt – a quien muchos recordaban – fue encargado, por los Síndicos de los Pañeros de retratarlos en grupo, estilo ya mas frecuente. Bajo su pincel fecundo, Rembrandt nos presenta los cinco personajes arropados de clásico negro (el dependiente en el fondo), en estilo no tradicional, aunque en un conjunto sobrio, todo armonía. Cada individuo se nos aparece realmente como de carne y hueso, si bien la escena no presenta casi movimiento. ¿No será la expresiva apacibilidad de los sujetos lo que tanto nos admira?

Cette toile fut commandée à Rembrandt dix ans avant sa mort. Le peintre n'était donc pas du tout oublié. Les syndics qui contrôlaient la teinture des draps, commandèrent à Rembrandt un portrait de groupe. Ce n'était pas inhabituel. Mais Rembrandt groupe ces cinq portraits – avec celui d'un huissier dans le fond – de façon très nouvelle. Sous son pinceau, ces sombres silhouettes se fondent en un ensemble cohérent. Les personnages nous paraissent vivre intensément. Il n'y a pourtant guère d'action dans ce tableau qui dégage au contraire un calme impressionnant.

Rembrandt is hier Paulus door twee attributen, die steeds weer voorkomen op schilderijen waarop deze apostel afgebeeld wordt: het zwaard dat uit de plooien van de mantel steekt en het geschrift of de brieven in zijn hand. Het is niet duidelijk waarom hij zich juist als deze apostel afbeeldt. Wel is duidelijk hoe hij hier zichzelf uiterst scherp waarneemt: door de strakke boog van de tulband wordt het voorhoofd rond, bol, tastbaar. En de smeuiig opgebrachte verf maakt dat zo'n huid er echt oud uitziet.

Rembrandt ist hier durch zwei Attribute Paulus, Kennzeichen, die immer wieder auf Gemälden, auf denen dieser Apostel abgebildet wird, vorkommen: das Schwert, das aus den Mantelfalten steckt und die Schriftstücke oder Briefe in seiner Hand. Deutlich ist es nicht, weshalb er sich gerade als dieser Apostel abbildet. Wohl ist es sonnenklar, dass er sich hier selbst ganz scharf wahrnimmt: infolge des straffen Bogens des Turbans wird die Stirne rund, gewölbt, fühlbar. Und die geschmeidig angebrachte Farbe veranlasst, dass die Haut echt alt aussieht.

レンブラントはここで，パウロを描いたどの絵画にも見られるように，二つの持物でパウロを装っている。マントのひだの間から出ている剣と，手に持った書物がそれである。何故このように使徒の扮装をしているのか明らかでない。彼がいかに注意深く自己を観察しているがよくわかる。ターバンをぴったりとゆわくことで,額はまるく立体感を持っている。そして，厚く塗られた絵の具は本当に老人の肌のようである。

Here Rembrandt is the Apostle Paul, made manifest by two attributes which constantly appear in paintings portraying this disciple: the sword protruding from the pleats of his cloak, and the scriptures or letters in his hand. It is not clear why he depicts himself as this particular apostle. What *is* clear is the extreme acuteness with which he sees himself: the taut curve of the turban makes the forehead round, bulging, tangible. And that malleable paint makes the skin look really aged.

Dos atributos propios de la efigie de S. Pablo, acompañan a Rembrandt representando aquí el apóstol: la espada, entre los repliegues del manto, y los escritos en la mano. No percibimos el porqué de esta representación, mas sí la crítica observación: el arco tendido del turbante recalca la curva de la frente abombada y los óleos extendidos generosamente dan a la piel su aspecto realmente envejecido.

Rembrandt a donné ici son propre visage à l'apôtre Paul, nous le reconnaissons à deux attributs qui lui sont particuliers: l'épée qui apparait entre les plis du manteau et le manuscrit ou lettre qu'il tient à la main. On ignore pourquoi il choisit de prêter son visage à cet apôtre. Le soin avec lequel il a observé son propre visage est évident: l'arrondi du front, souligné par la courbe du turban, est presque saillant et la peinture crémeuse nous donne l'impression d'une peau vieillissante.

Men weet niet of zij wel joods is, of een bruid. Men kent deze mensen niet. Ze staan voor een vage aanduiding van een poort en een tuin. Er is verf in dikke plakkaten: brandend rood, gloeiend goud en bronzen groen. Rembrandt heeft er in geduwd met zijn paletmes en er met de achterkant van een penseel in gekrast. Details zijn onbelangrijk: juwelen zijn eer flonkering, dan dat ze nauwkeurig zijn weergegeven; er zijn geen nagels aan de vingers, maar die handen maken wel een teken, dat beiden best verstaan.

Man weiss es nicht, ob sie jüdisch ist oder eine Braut. Man kennt diese Menschen nicht. Sie stehen vor einer unbestimmten Andeutung einer Pforte und eines Gartens. Farbe ist da in dicken Klecksen: brennendes Rot, glühendes Gold und Bronzegrün. Rembrandt hat mit seinem Palettenmesser hereingedrückt und mit der Hinterseite seines Pinsels hereingekratzt. Einzelheiten sind unwesentlich: Juwelen sind eher Flimmern, als dass sie genau wiedergegeben sind; an den Fingern sind keine Nägel, aber die Hände machen wohl ein Zeichen, dass die Beiden sich sehr gut verstehen.

彼女がユダヤ人であるか否か、花嫁か否かわからない。また誰であるのかもわかっていない。彼らは門と庭のボンヤリとした背景を背に立っている。燃えるような赤、強烈な金、青銅のような緑の絵の具は厚く塗られている。レンブラントは、パレットメスを押しあて、筆の尻でけずっている。細部は重要ではない。宝石はたん念に描かれたものよりも、むしろ、輝いてみえる。指には爪が無いが、その手は、二人が理解し合っている様子をよく表わしている。

No one knows whether she is Jewish, nor whether she is a bride. No one knows who these people are. They are standing in front of a vaguely indicated gateway and garden. There is paint in thick blobs: burning red, glowing gold, bronze green. Rembrandt has gouged into it with his palette knife and scratched in it with the wrong end of his brush. Details are unimportant: jewels are more a matter of sparkle than of accurate reproduction; there are no nails to the fingers, but those hands, nonetheless, make a sign that both understand very well.

Ignórase la identidad de la pareja o si fue bien novia, bien judía ella. Están ambos de espaldas a una reja o pórtico de jardín. Todo es riqueza de pintura bermeja como las llamas, oros tales como si se hallaran en fusión; el verde es bronceado. Rembrandt implanta las masas de color con su cuchillo de paleta, y las va rasgando con la punta opuesta del pincel. Descuida los detalles: las joyas son, mas que nada, resplandores; las uñas, esbozadas… pero ¡cuan delicado gesto el de las manos, cuan íntimo y revelador!

Nous ne savons pas s'il s'agit bien d'une juive, ni même d'une fiancée. On ignore même qui ils sont. Derrière eux, nous distinguons vaguement un portail et un jardin. La couleur est posée en larges touches: rouge de flamme, or ardent et vert de bronze. Le peintre a travaillé avec le couteau à palette, gratté avec le manche du pinceau. Les détails sont sans importance: les bijoux ne sont que scintillement indistinct, les ongles ne sont pas dessinés, mais le geste des mains est évident pour tous deux.

Grote lichte vlakken bakenen een kamer af. Door een raam valt een zilver licht naar binnen, dat eer van Vermeer is, dan dat het natuurgetrouw afgebeeld zonlicht is. Tintelend treft dat licht het stilleven op de tafel. Zo maar een dienstmeisje is er bezig met een alledaags werkje. Door het grijs achter haar kan ze sterk worden neergezet, als een stevige, potige vrouw. Zo bieden de grote vlakken van haar wijde rok, het ruime schort en het forse jak ruime mogelijkheid voor een welluidende rood–blauw-gele drieklank in die stille, grijzige kamer.

Grosse, lichte Flächen begrenzen ein Zimmer. Durch ein Fenster fällt ein silbernes Licht herein, das eher von Vermeer ist, als dass es naturgetreu abgebildetes Sonnen-licht ist. Funkelnd trifft dies Licht das Stilleben auf dem Tisch. Nur ein Dienstmädchen beschäftigt sich mit einer gewöhnlichen Arbeit. Mit ihrem grauen Haar hinten kann sie stark, eine feste, vierschrötige Frau, hingesetzt werden. So bieten die grossen Flächen ihres weiten Rockes, die grosse Schürze und die forsche Jacke eine ergiebige Möglichkeit eines wohllautenden rot-blau-gelben Drei-klangs in dem stillen, gräulichen Zimmer.

部屋中に光が満ちている。窓から室内に差し込む銀色の光は、フェルメール独特の創意である。ちらちら輝く光はテーブルの上に落ちている。女中は日々の仕事に精を出している。灰色のバックのために、彼女は頑丈そうにみえる。幅の広いスカート、大きな前掛け、たっぷりした上着は、静かな灰色の室内に、赤青黄の三色の調和をかもし出している。

Large planes of light mark off a room. A silvery light pours in through a window, more a Vermeer light than a true-to-life representation of sunlight. That light sparkles on to the still-life on the table. Just a ser-vant girl engaged in an every-day occupation. That grey behind her sets her off sharply as a sturdy, large-boned woman. The wide planes of her full skirt, the capacious apron and the massive bodice offer ample opportunity for a harmonious triad in yellow, blue and red in that quiet greyish room.

La lumbre en el aposento es casi difusa. No filtran sol, sino plata, los cristales, conforme al estilo propio de Vermeer, no como el de la naturaleza. El bodegón irradia una luz rezagada. La sirvienta está ocupada en los quehaceres de la casa. Contrasta la robusta simplicidad de su figura en el trasfondo de matices grises. Las hechuras amplias del corpiño y de las faldas, dan al artista tela para su trilogía plástica de rojo-azul-amarillo, sincronizada a la quietud grisácea del aposento.

De grandes taches de lumière dessinent la pièce. La lumière argentée qui vient de la fenêtre, est plutôt une création de Vermeer que la lumière du soleil. Elle fait scintiller les objets groupés en nature morte sur la table. Une servante s'affaire à un travail banal. Le mur gris derrière elle fait ressortir sa silhouette vigoureuse. Dans la pièce silencieuse et grise, jouent librement les accords heureux, rouge-bleu-jaune, de sa large jupe, de son grand tablier et de son corsage de rude tissu.

Vanuit zijn atelier in Delft keek Vermeer uit op deze ver-
weerde, gerepareerde huizen. Oneindig verschillend
geeft hij het rood van al die steentjes, die hij gezien heeft,
stuk voor stuk, soms zelfs door de witte pleisterlaag heen.
De lucht is ruim en open, de gevels zijn dicht: een deur
en luiken zijn toe, glas is donker, een duister interieur
laat geen inkijk toe. Een brandgang is open en geeft
diepte, ook door het rood van het vrouwtje, dat daar
kalm haar werk doet. Kinderen spelen zoet, een hand-
werkje wordt in alle rust gemaakt. Want wat er leeft bij
Vermeer, leeft stil.

Von seinem Atelier in Delft aus sah Vermeer diese ver-
witterten, reparierten Häuser. Unendlich verschieden-
artig trifft er das Rot aller dieser kleinen Steine, die er
erblickte, Stück für Stück, manchmal selbst durch die
weisse Gipslage hin. Weit und offen ist die Luft, die
Giebel sind zu: eine Türe und Laden sind geschlossen,
Glas ist dunkel, ein düsteres Interieur lässt keinen Ein-
blick zu. Eine Brandgasse ist offen und gibt Tiefe, auch
das Rot einer jungen Frau, die ihre Arbeit ruhig verrich-
tet. Kinder spielen brav, in aller Ruhe wird eine Hand-
arbeit gemacht. Denn, was bei Vermeer lebt, lebt still.

デルフトの彼のアトリエから，フェルメールは，この風化し
修理された家々を見た。彼はレンガの一つ一つに異なった赤
色を与え，時には白い絵の具さえ用いている。空は大きく広
がって，家の正面は閉ざされている。扉と板戸はしまってい
て，窓ガラスは黒く，暗い室内を見るこのはできない。開い
ている非常口と，そこで静かに働いている女の赤い服は，絵
に奥行を与えている。子供達はおとなしく遊んでいて，婦人
人は手仕事を穏やかさの中でしている。フェルメールがここ
に描いているのは静寂である。

From his studio in Delft, Vermeer looked out upon
these weathered, patched-up houses. Infinitely varied,
one by one, he reproduces the red of all the bricks he
saw, some of them even through their plaster coating.
The sky is wide and open, the facades are shut: a door
and the shutters are closed, the glass is dark, a dim interior prevents us from looking inside. A fire-lane is open
and creates depth, aided by the red of the woman calmly
going about her work. Children are playing contentedly,
sewing is being done in perfect peace. For, with Vermeer,
what lives, lives quietly.

El taller de Vermeer de Delft daba en esta callejuela de
casas remendadas viejas. Con infinita paciencia rehace
cada ladrillo, incluso a través del yeso. El cielo es espa-
cioso; la fachada está cerrada, salvo una contraventana y
una puerta. El interior se nos oculta en la oscuridad.
También son oscuros los cristales. El cortafuego, abierto,
brinda una perspectiva, que realza el rojo de la mujer
entretenida en su faena. Los niños juegan, quietos. Otra
mujer está ensimismada en una labor. Somos testigos de la
serena interioridad de los seres pintados por Vermeer.

Par la fenêtre de son atelier à Delft, Vermeer voyait ces
maisons usées, décolorées par le temps. Avec une variété
infinie, il rend le rouge des briques, une à une et parfois
même à travers le plâtre qui les recouvre. L'atmosphère est
claire et dégagée, les façades sont closes: portes et volets
sont fermés, les vitres sont opaques, on ne voit rien à
l'intérieur. Un passage s'ouvre entre les maisons; la robe
rouge d'une servante qui travaille là tranquillement, accentue la profondeur. Des enfants jouent paisiblement,
tandis que la mère coud. Car la vie que nous montre
Vermeer est une vie silencieuse.

Vermeer componeert niet alleen zijn heldere ruimten, hij vertelt er toch ook verhalen in. Op de nog geen veertig schilderijen die er van hem bekend zijn, komt nogal eens een vrouw voor met een brief. Dat duidt vaak op al of niet versmade liefde, zoals een muziekinstrument of musiceren door de 17e-eeuwse mens wel begrepen werd als een erotische toespeling. Tegengesteld aan de ééntonig gekleurde, hoekige vlakken van de meubels staat er die vrouw, heel levend, intens geconcentreerd. Wat ze leest en de inhoud ervan blijft voorlopig een onopgelost raadsel.

Vermeer komponiert nicht nur seine hellen Räume, er erzählt doch auch in ihnen ganze Geschichten. Bei den nicht ganz vierzig Gemälden, die von ihm bekannt sind, kommt manchmal eine Frau mit Ärger über einen Brief vor. Dies weist oft auf nicht verschmähte oder verschmähte Liebe hin, wie ein Musikinstrument oder Musizieren vom Menschen des 17. Jahrhunderts als erotische Anspielung wohl begriffen wurde. Im Gegensatz zu den einfarbig gestalteten eckigen Flächen der Möbel steht die Frau da, springlebendig, äusserst konzentriert. Was sie nun liest und der Inhalt davon bleibt vorläufig ein unaufgelöstes Rätsel.

フェルメールは，明確な空間を構成するのみでなく，そこに物語を織込んでいる。彼の手になる40枚ほどの絵に，手紙を手にしている一人の女性が現われている。手紙は十七世紀に楽器や音楽が，しばしばエロティックなものの象徴とされていたのと同じように，愛情を表わすものではないだろうか。単調な色彩を破るような角ばった家具のそばで，婦人は生き生きと一心に手紙を読んでいる。彼女の読んでいるものと，その内容は今のところ謎である。

Vermeer not only composes his limpid spaces, he also tells a story in them. There are less than forty of his paintings known to exist, and in these, a woman reading a letter appears more than once. This often signifies a scorned lover, or the opposite, just as the playing of a musical instrument was understood by 17th century people to be an erotic allusion. Contrasting with the one-coloured, squarish planes of the furniture, is a woman, very much alive, intensely concentrated. What she is reading will ever remain a mystery.

Vermeer nos presenta no solo composiciones de escueta facturación, sino que también nos cuenta. En apenas cuarenta cuadros conocidos de su obra, no es infrecuente el tema de la mujer que lee una carta. Es, o no es, señal de amor desdeñado. El instrumento o tocar de música, en la mente diecisietentista, evoca amor. Contrasta la simetría y la uniformidad del color del mobiliario con la intensa vitalidad y concentración en la lectura, de la figura femenina. Lo que lee es un misterio jamás resuelto.

Vermeer ne se contente pas de construire des espaces clairs, il leur donne un contenu. Dans les quelques quarante peintures que nous connaissons de lui, revient plusieurs fois le thème de la femme lisant une lettre. C'est souvent l'évocation d'un amour plus ou moins heureux, comme les instruments de musique ou les concerts évoquent, pour l'homme du 17ème siècle, des sujets érotiques. Près de ces meubles anguleux aux couleurs monotones, se dessine une femme, intensément vivante et concentrée. Mais le contenu de la lettre reste pour nous une énigme.

In een gang, vlak bij een rechte stoel, staat de deur open naar een volgende ruimte. In die kamer: strak zwart-witte tegels, twee zwart omlijste schilderijen, een rechte schoorsteen. De koele ordening wordt doorbroken door speelser vormen: een scheef neergezette veger, een deftig gordijn, een open wasmand. Maar sterker nog door het stukje kleurrijk leven van de dienstmaagd en haar meesteres. De betekenis van die brief is, naast vorm en en kleur, het derde spannende element dat het geheim uitmaakt van Vermeers kunst. Of geven de schilderijen aan de wand, met een reiziger en een schip, de oplossing?

In einem Gang, ganz in der Nähe eines geraden Stuhles, ist die Türe zu einem folgenden Raum offen. In diesem Zimmer: starre schwarz-weisse Fliesen, zwei schwarz-umrahmte Gemälde, ein gerader Schornstein. Die kühle Ordnung wird mit spielerischen Formen durchbrochen: einem schief hingesetzten Besen, einem kostbaren Vorhang, einem offenen Wäschekorb. Noch stärker mit einem Stückchen farbenreichen Lebens des Dienstmädchens und seiner Herrin. Die Bedeutung des Briefes ist, ausser Form und Farbe, das dritte spannende Element, das das Geheimnis von Vermeers Kunst ausmacht. Oder geben die Bilder an der Wand, mit einem Reisenden und einem Schiff, die Lösung?

廊下の椅子のすぐそばに、次の部屋への扉が開いている。部屋には、きっちりと白黒のタイルが敷かれ、黒い額縁に入った二枚の絵がかかっている。角張った暖炉がある。たて掛けてあるブラシ、どっしりとしたカーテン、口の開いた洗濯籠などが、その冷たい配置を破っている。しかし、それ以上に作用しているのは、女中と女主人の華やかな雰囲気である。この手紙の内容は、その型と色に次いで、フェルメールの芸術の秘密の第三の要素となっている。それとも、壁に掛けてある旅人と船の絵がその解決を与えてくれるのだろうか。

In a hallway near a straight-backed chair, the door to a room is open. In this room: neat black and white tiles, two paintings framed in black, a vertical fireplace. The cool order is interrupted by more playful forms: a broom leaning sideways, an ornate curtain, an open washing basket. But even more so by that glimpse of colourful life provided by the maid and her mistress. Besides form and colour, the significance of that letter is the third element of suspense that constitutes the secret of Vermeer's art. Or do the paintings on the wall, of a traveller and a ship, provide the answer?

En el pasillo, junto a la puerta, un sillón. Mas allá, un cuarto con losas blancas y negras. En frente, dos cuadros en la pared, en marcos negros también; la chimenea forma atrio. Rompen la simetría la línea oblícua del escobón, la cortina levantada, una cesta de ropa. Mas aun, el grupo animado de la señora y la sirvienta. Lo que dice la carta es el tercer elemento pictórico en el que culmina el tema, característico y secreto del arte de Vermeer. ¿O estará la clave en ese cuadro del viajero y de la nave?

Dans un couloir, près d'une chaise, s'ouvre la porte d'une chambre. Nous apercevons le sol dallé en damier, deux peintures encadrées de noir et une cheminée. Cette ordonnance froide est animée par des formes plus souples: un balai appuyé au mur, un rideau, un panier à linge – et plus encore par les silhouettes vivantes et colorées de la servante et de sa maîtresse. Le contenu de cette lettre est, avec la forme et la couleur, le troisième élément d'intérêt inhérent à l'art de Vermeer. Peut-être les tableaux accrochés au mur, représentant un bateau et un voyageur, nous en donnent-ils la clé?

Tekst: Gerard van der Hoek

Vertalingen: Duits   – Dr. Albert A. Hess
            Japans – Hiroko Nishida
            Engels – Margaret Roche
            Spaans – Mevr. D. A. Delgado de Vargas
            Frans   – Mevr. M. L. Domela Nieuwenhuis-Levent

Lay-out: M. Kempers

Druk: Joh. Enschedé en Zonen, Haarlem

© Rijksmuseum-Amsterdam